Supermachines
AVIONS

Ian Graham

AVIONS

Broquet

97-B, Montée des Bouleaux, Saint-Constant,
(Qué.) Canada J5A 1A9,
Tél. : 450 638-3338 Téléc. : 450 638-4338
Internet : www.broquet.qc.ca
Email : info@broquet.qc.ca

Catalogage avant publication de Bibliothèque et Archives
nationales du Québec et Bibliothèque et Archives Canada

Graham, Ian, 1953-

Avions

(Supermachines)

Traduction de: Mighty aircraft.

Comprend un index.

ISBN 978-2-89000-921-9

1. Avions - Ouvrages pour la jeunesse. I. Titre.

TL547.G7214 2008   j629.133'34   C2007-942250-0

Pour l'aide à la réalisation de son programme éditorial, l'éditeur remercie
Le Gouvernement du Canada par l'entremise du Programme d'aide au développement
de l'industrie de l'édition (PADIÉ ; La société de développement des entreprises culturelles
(SODEC) ; L'association pour l'exportation du livre canadien (AELC). Le Gouvernement
du Québec - Programme de crédit d'impôt pour l'édition de livres - Gestion SODEC.

Titre original : Mighty aircraft
Copyright © Appleseed Editions Ltd 2006
Well House, Friars Hill, Guestling,
East Sussex, TN35 4ET, United Kingdom

Pour l'édition française :
Copyright © Broquet inc., Ottawa 2008
Dépôt légal — Bibliothèque nationale du Québec
1" trimestre 2008

Traduction : Dominique Chichera
Révision : Marcel Broquet, Audrey Lévesque
Infographie : Sandra Martel

Imprimé en Malaisie

ISBN 978-2-89000-921-9

TABLE DES MATIÈRES

LES AVIONS PUISSANTS

Chaque année, près de deux milliards de personnes voyagent en avion. Les avions emmènent les gens sur leur lieu de vacances, transportent des marchandises et défendent les pays en temps de guerre. Il est difficile de s'imaginer un monde sans avion.

LES TYPES D'AVIONS

Il existe des avions de passagers, des avions militaires, des avions cargos et des avions expérimentaux. La catégorie des avions de passagers comprend des petits avions à propulsion, des avions d'affaires plus gros et même des avions de ligne encore plus gros. La catégorie des avions militaires comprend les avions de chasse, les bombardiers et les avions espions. Contrairement aux avions de ligne qui transportent des passagers, les avions cargos ne transportent que des marchandises.

Un avion d'affaires

Chaque jour, des avions de ligne font la file pour décoller d'aéroports très fréquentés.

Un avion est guidé sur le sol et dans les airs par des contrôleurs de la circulation aérienne. Ils communiquent avec les pilotes par radio et observent les déplacements de l'avion sur leurs écrans.

Un avion
de ligne

Un avion cargo

Un avion
de chasse

LA CONCEPTION DES AVIONS

Les avions ont des formes et des tailles différentes parce qu'ils sont conçus en fonction des rôles qu'ils doivent remplir. Les avions de chasse sont petits, rapides et lourdement armés. Les avions cargos sont plus gros pour pouvoir transporter beaucoup de marchandises. Ils ont aussi de larges portes pour faciliter le chargement et le déchargement. Les avions de ligne ont des cabines spacieuses pour pouvoir transporter des passagers. Les avions d'affaires sont plus petits, parce qu'ils transportent moins de personnes. Les drones sont encore plus petits parce qu'il n'y a pas de pilote.

INFO-ÉCLAIR

Les aéroports les plus fréquentés

L'aéroport le plus fréquenté au monde est l'aéroport international O'Hare de Chicago aux États-Unis, avec presque un million de décollages et d'atterrissages par an.

COMMENT VOLENT LES AVIONS?

Du plus petit avion monomoteur au plus gros avion de ligne, tous les avions fonctionnent plus ou moins de la même façon.

DE PLUS EN PLUS HAUT !

Les avions sont conçus pour faire trois choses : leur moteur les propulse dans les airs, leurs ailes les soulèvent dans le ciel et certaines parties de leurs ailes et de leur dérive bougent pour les orienter dans les airs. Les parties mobiles sont les ailerons des ailes, les gouvernes de profondeur et les gouvernes de direction de la dérive.

Voici les parties les plus importantes d'un avion.

Fuselage
Étroit et lisse pour mieux pénétrer dans l'air.

Moteurs
Propulsent l'avion.

Ailes
Font décoller l'avion du sol.

Gouvernes de direction
Font tourner la queue vers la droite ou vers la gauche.

Gouvernes de profondeur
Font monter ou descendre le nez.

Ailerons
Font virer l'avion.

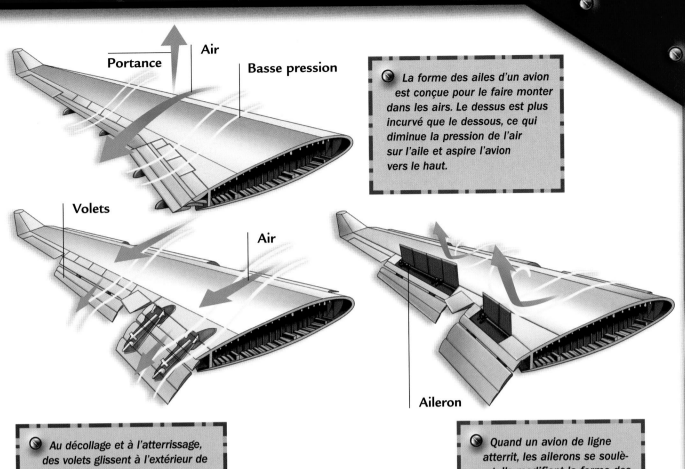

Portance

Air

Basse pression

La forme des ailes d'un avion est conçue pour le faire monter dans les airs. Le dessus est plus incurvé que le dessous, ce qui diminue la pression de l'air sur l'aile et aspire l'avion vers le haut.

Volets

Air

Aileron

Au décollage et à l'atterrissage, des volets glissent à l'extérieur de chaque aile. Ils augmentent la grandeur de l'aile et créent plus de portance pour voler en toute sécurité à basse vitesse.

Quand un avion de ligne atterrit, les ailerons se soulèvent. Ils modifient la forme des ailes et annulent ainsi la force verticale qu'elles ont engendrée pour que l'avion ne puisse pas décoller de nouveau.

LA PUISSANCE D'UN RÉACTEUR

Les moteurs des avions à réaction sont appelés turbofan ou turboréacteurs à double flux. Un gros ventilateur à l'avant aspire l'air à l'intérieur. Une partie de l'air est comprimée par un compresseur et va dans la chambre de combustion où le carburant brûle en générant de la chaleur. L'air se dilate et s'échappe du moteur en passant à travers une turbine. En tournant, la turbine entraîne le ventilateur et le compresseur.

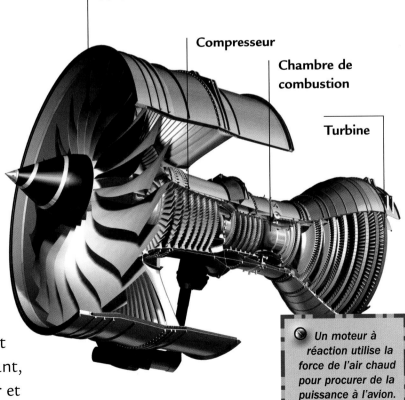

Ventilateur

Compresseur

Chambre de combustion

Turbine

Un moteur à réaction utilise la force de l'air chaud pour procurer de la puissance à l'avion.

LES PIONNIERS DE L'AIR

Le 17 décembre 1903, un frêle avion rose s'éleva dans les airs près de Kitty Hawk en Caroline du Nord aux États-Unis et réalisa ainsi le tout premier vol.

APPRENDRE À VOLER

Le premier avion s'appelait *Flyer*. Il avait été construit par deux frères, Orville et Wilbur Wright. Après avoir passé quatre années à fabriquer des cerfs-volants et des planeurs pour apprendre comment maintenir un avion dans les airs, ils se sont enfin sentis prêts à construire leur premier avion motorisé, le *Flyer*.

Câbles
Tendent fermement les ailes contre les entretoises.

Entretoises
Maintiennent les ailes à la bonne distance l'une de l'autre.

Le premier avion était un biplan ; il avait deux ailes placées l'une au-dessus de l'autre.

Le *Flyer* des frères Wright

Longueur	6,4 mètres
Envergure	12,3 mètres
Poids	274 kg
Vitesse maximale	48 km/h

Le moteur du Flyer ne pouvait tourner que pendant quelques minutes avant de surchauffer, mais cela était suffisant compte tenu de la courte durée des vols du Flyer.

L'étrange avion, le 14-bis, a été construit comme un assemblage de cerfs-volants en forme de boîtes. Son moteur actionnait un propulseur situé à l'arrière.

Toile
Recouvrait une carcasse en bois.

Pilote
Était assis dans une nacelle en osier.

LES AVIONS EUROPÉENS

Les Européens essayaient de construire des avions en même temps que les frères Wright. Le premier vol d'un avion en Europe eut lieu en France en 1906, par un avion appelé *14-bis*. Le premier vol en Grande-Bretagne s'effectua, quant à lui, en 1908. Cet avion était si gros et si lourd qu'il a été surnommé « la cathédrale volante ».

L'ORIENTATION

Les oiseaux s'orientent dans les airs en battant des ailes. Les ailes du *Flyer* des frères Wright s'agitaient de la même façon. Le pilote était étendu dans un panier qu'il déplaçait latéralement. En glissant d'un côté, le panier tendait les câbles qui tiraient le bout des ailes, ce qu'ils appelaient le gauchissement de l'aile.

INFO-ÉCLAIR
Le premier vol
Le premier vol du Flyer s'effectua sur une longueur de 36 mètres, une distance plus courte que celle de la cabine d'un gros porteur commercial !

LES AVIONS CLASSIQUES

Les premiers avions étaient construits autour d'un squelette de bois recouvert de toile attachée par des câbles. Ils ont vite été remplacés par des avions entièrement métalliques de plus en plus rapides.

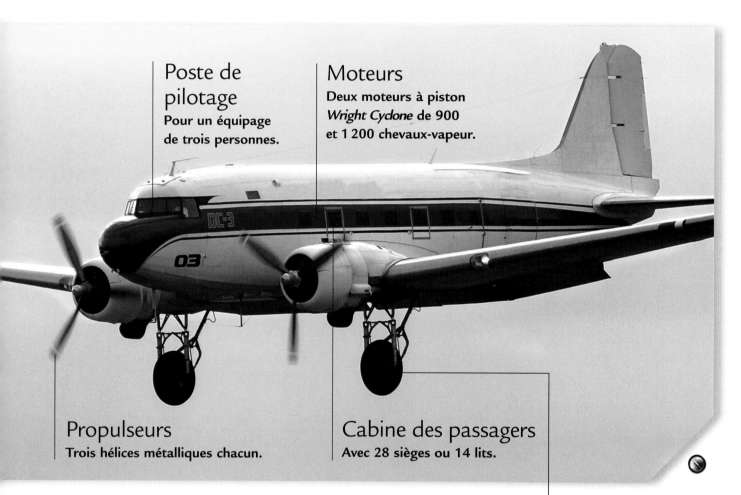

Poste de pilotage
Pour un équipage de trois personnes.

Moteurs
Deux moteurs à piston *Wright Cyclone* de 900 et 1 200 chevaux-vapeur.

Propulseurs
Trois hélices métalliques chacun.

Cabine des passagers
Avec 28 sièges ou 14 lits.

LE CLASSIQUE DC-3

L'avion de ligne le plus populaire des années 1930 était le *Douglas DC-3*. Il pouvait transporter 28 personnes dans un confort supérieur à celui auquel les passagers étaient habitués à cette époque. Les sièges étaient rembourrés et la cabine était chauffée. Une version conçue pour les vols de nuit contenait des lits pour 14 passagers.

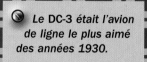

Le DC-3 était l'avion de ligne le plus aimé des années 1930.

Trains d'atterrissage
Se repliaient sous les ailes.

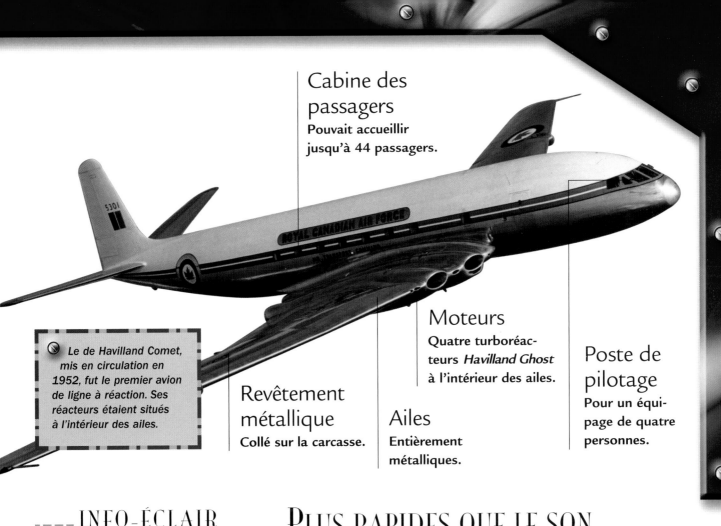

Cabine des passagers
Pouvait accueillir jusqu'à 44 passagers.

Moteurs
Quatre turboréacteurs *Havilland Ghost* à l'intérieur des ailes.

Poste de pilotage
Pour un équipage de quatre personnes.

Le de Havilland Comet, mis en circulation en 1952, fut le premier avion de ligne à réaction. Ses réacteurs étaient situés à l'intérieur des ailes.

Revêtement métallique
Collé sur la carcasse.

Ailes
Entièrement métalliques.

---- INFO-ÉCLAIR

Des avions qui grandissent !
Le Concorde s'allongeait d'environ 15 centimètres durant chaque vol parce que son fuselage métallique se dilatait sous la chaleur.

PLUS RAPIDES QUE LE SON

Les avions à réaction volèrent à des vitesses de plus en plus grandes jusqu'à ce que le *Bell X-1*, ayant la forme d'une balle de *revolver*, vole à une vitesse supérieure à celle du son, le 4 octobre 1947. Les avions de chasse supersoniques (plus rapides que le son) et les bombardiers n'ont pas tardé à suivre. Puis, en 1969, le premier avion de ligne supersonique effectua son premier vol. L'avion s'appelait *Concorde* et transportait les passagers dans le plus grand confort à une vitesse deux fois supérieure à celle du son.

Le Concorde pouvait voler à une telle vitesse grâce à son fuselage étroit, à ses ailes en forme de flèches et à ses quatre réacteurs hyper puissants Olympus.

LES AVIONS DE LIGNE

Le *Boeing 747 Jumbo Jet* a été le plus gros avion de ligne au monde pendant 35 ans. Pendant toutes ces années, il est devenu de plus en plus gros.

LES GROS PORTEURS

Le *Boeing 747 Jumbo Jet* a effectué son premier vol en 1969 et a commencé à transporter des passagers l'année suivante. Des porteurs de plus en plus gros ont ensuite été construits. Le plus gros est le 747-400. Chaque avion est composé de six millions de pièces détachées. Au fil des ans, les gros porteurs ont transporté 3,5 milliards de passagers et parcouru une distance d'environ 56 milliards de kilomètres, l'équivalent de 74 000 voyages aller-retour vers la lune !

Dérive
Aussi haute qu'un immeuble de six étages.

Un Boeing 747-400 rempli à pleine capacité décolle avec environ 240 000 litres de carburant et 5 tonnes de nourriture et de boissons.

Pont supérieur

D'une capacité d'environ 205 passagers.

Le poste de pilotage de l'Airbus A380 est muni des équipements électroniques les plus modernes de tous les avions de ligne.

La cabine de l'Airbus A380 est suffisamment spacieuse pour pouvoir y aménager un restaurant, une boutique ou un cinéma.

Pont principal

D'une capacité d'environ 350 passagers.

LES DEUX PONTS SUPERPOSÉS

Le *Airbus A380* est le plus gros avion civil de tous les temps. Ses roues pèsent plus lourd qu'un avion entier des années 1930. Il a effectué son premier vol le 27 avril 2005. Bien que sa cabine à double pont intégral puisse accueillir jusqu'à 840 passagers, il sera certainement décidé de ne pas le remplir à pleine capacité et de ne transporter que 555 personnes.

INFO-ÉCLAIR

Des ailes gigantesques

Un avion aussi colossal que le A380 a besoin d'ailes gigantesques pour se soulever dans les airs. Ses ailes sont tellement vastes qu'il serait possible d'y garer 70 voitures !

	Airbus A380	747-400
Longueur	73 mètres	70,7 mètres
Envergure	79,8 mètres	64,4 mètres
Poids maximum au décollage	560 tonnes	397 tonnes
Passagers	555	416

Grâce à son double pont, l'Airbus A380 peut transporter un tiers de plus de passagers qu'un gros porteur.

LES AVIONS D'AFFAIRES

Les lignes régulières et les horaires des avions de ligne conviennent à la majorité des personnes. Cependant, les gens d'affaires doivent quelquefois aller dans des endroits qui ne sont pas desservis par les avions de ligne. Dans ce cas, la solution est l'avion d'affaires.

DES AVIONS DE PETITE TAILLE

Les avions d'affaires sont plus petits que les avions de ligne. Ils peuvent donc se poser sur des centaines de petits aéroports et aérodromes que les gros avions de ligne ne peuvent utiliser. Le *Learjet* est un des plus célèbres jets d'affaires. Les *Learjet* volent depuis les années 1960. Ils nécessitent un équipage de deux personnes et peuvent transporter jusqu'à neuf passagers. Les autres avions d'affaires en circulation sont le *Cessna Citation*, le *Gulfstream*, le *Dassault Falcon* et le *Boeing Business Jet*.

Empennage horizontal
Situé à l'extrémité de la dérive.

Le Learjet doit sa puissance à deux réacteurs situés derrière les ailes. Il peut transporter jusqu'à neuf passagers.

14

Certains avions d'affaires sont aménagés comme des bureaux pour que les passagers puissent travailler pendant le vol.

Les postes de pilotage informatisés

Les postes de pilotage des avions d'affaires les plus récents sont équipés d'instruments de vol électroniques, tout comme les plus gros avions de ligne. Les écrans d'ordinateurs sont installés devant le siège des pilotes. Les ordinateurs de bord donnent des indications qui facilitent le vol et le rendent plus sécuritaire. Chaque écran affiche les données qui étaient auparavant fournies par des douzaines de cadrans à aiguille et de jauges mécaniques.

INFO-ÉCLAIR
Les « cockpits de verre »
Les postes de pilotage équipés d'instruments de vol électroniques ultra-modernes des avions de ligne et des jets d'affaires sont aussi appelés « cockpits de verre » en raison de la présence de nombreux écrans d'ordinateurs. Les écrans affichent de nombreuses indications sur les conditions de l'avion et de ses moteurs.

Ce poste de pilotage d'un avion d'affaires est équipé de quatre écrans d'ordinateurs qui fournissent une foule de renseignements aux deux pilotes.

15

VOLER À GRANDE VITESSE

Les avions rapides fendent le ciel à plus de 3 000 km/h, une vitesse trois fois supérieure à celle du son.

BLACKBIRD, LE RAPIDE

L'avion-espion *Lockheed SR-71 Blackbird* est officiellement l'avion le plus rapide de la planète. Il détient le record de vitesse dans les airs depuis 1976. Cet avion vole à une altitude telle que les deux membres de l'équipage doivent porter une combinaison semblable à celle des astronautes. Il a été conçu pour voler à haute altitude et à grande vitesse pour éviter d'être attaqué par les avions de chasse et les missiles. Il n'est pas équipé d'armement.

> Le Blackbird *a un fuselage aplati et des ailes delta (en forme de triangle).*

Fuselage
Fait en titane ultraléger.

Moteurs
Des turbo-statoréacteurs de conception spéciale.

Cône d'aspiration
Sort ou se rétracte pour laisser entrer l'exacte quantité d'air nécessaire dans le turboréacteur.

Postes de pilotage
Deux postes de pilotage, situés l'un derrière l'autre.

Capteurs
Contiennent des appareils photos et des radars de surveillance.

Lockheed SR-71 Blackbird

Longueur	32,7 mètres
Envergure	16,9 mètres
Poids	65 770 kg
Plafond (altitude maximale)	25 900 mètres
Vitesse maximale	3 529 km/h

Le MiG-25 *est aussi connu sous le nom de Foxbat. Il peut voler à une vitesse de 3 000 km/h.*

Fuselage

Fait en acier et en titane pour supporter les températures élevées.

MIG, LE PUISSANT

L'avion russe *MiG-25* est presque aussi rapide que le *Blackbird*. Le *MiG-25* fait partie d'une catégorie d'avions de chasse appelés intercepteurs. Son rôle est d'intercepter les avions ennemis le plus rapidement possible. Il peut également être utilisé comme avion-espion quand les missiles qui l'équipent sont remplacés par des appareils photo.

Les pilotes du Blackbird sont vêtus comme les astronautes parce qu'ils volent à très haute altitude.

INFO-ÉCLAIR

Des avions très chauds

Les avions rapides comme le Blackbird génèrent de la chaleur lorsqu'ils pénètrent dans l'air. Quand ils ont atteint leur vitesse maximale, certaines parties du Blackbird sont cinq fois plus chaudes que l'eau bouillante !

LES MÉGACARGOS

Les plus gros avions sont les cargos. Certains avions-cargos sont des avions de ligne convertis, tandis que d'autres sont spécialement conçus pour remplir ce rôle.

L'IMPRESSIONNANT GALAXY

Le *Lockheed C-5* Galaxy est plus gros qu'un gros porteur. Il est tellement gros qu'il peut transporter 16 camions militaires ou deux tanks de 70 tonnes. À pleine capacité, il pèse le même poids que 40 avions d'affaires ! Quand ces gigantesques avions ne sont pas utilisés à des fins militaires, ils transportent des marchandises pour porter secours aux victimes d'inondations et de tremblements de terre.

Quand le nez est levé et la rampe de débarquement abaissée, on peut voir la soute de l'énorme cargo Galaxy.

L'équipage d'un cargo géant Galaxy est composé de sept personnes : deux pilotes, deux ingénieurs de vol et trois opérateurs de chargement.

La soute du cargo C-17 *Globemaster* peut être rapidement aménagée pour transporter des marchandises, des soldats ou des malades sur des civières.

Le maître du ciel

Le *Galaxy* est si gros qu'il a besoin d'une longue piste pour atterrir. Le *C-17 Globemaster* est conçu pour pouvoir se poser avec 77 tonnes d'équipement à l'intérieur de sa soute sur des petits aérodromes. Il peut même reculer pour tourner dans des petits espaces.

INFO-ÉCLAIR

Le transporteur de navette

Le Antonov An-225 est le plus gros avion de transport. Il fut construit en un seul exemplaire, destiné à transporter la navette spatiale russe sur son dos.

LES AVIONS DE CHASSE

Les avions de chasse sont des aéronefs conçus pour attaquer d'autres avions. Éloigner les avions ennemis est une manœuvre importante, car cela permet aux troupes au sol de se déplacer de façon plus sécuritaire.

RAPTOR, LE FÉROCE

Le *F/A-22 Raptor* est un nouvel avion de chasse qui tire son nom d'un oiseau de proie féroce. Les initiales « F/A » qui apparaissent dans son nom signifient qu'il peut remplir le rôle d'un chasseur ou d'un avion d'attaque au sol. Il peut voler à une vitesse supérieure à deux fois celle du son. Quand il rencontre un avion ennemi, il peut se retourner rapidement pour mener une bataille aérienne.

Réacteurs
Au nombre de deux, conçus spécialement pour le *Raptor*.

Pour augmenter son aérodynamisme, le F/A-22 Raptor transporte ses armements à l'intérieur de son fuselage.

Tuyères de moteur
Pivotent pour tourner rapidement.

Poste de pilotage
Pour une personne.

Ordinateurs
Relient l'avion à tous les autres *Raptor* qui sont proches.

Grandes entrées d'air
Laissent entrer une grande quantité d'air dans les réacteurs.

20

> Le *F-15E* peut être utilisé comme chasseur ou comme bombardier. Les avions de chasse qui peuvent larguer des bombes sont appelés chasseurs-bombardiers.

Réservoir de carburant
Transporte du carburant supplémentaire pour les vols de longue distance.

Armement
Jusqu'à 11 000 kg de bombes et de missiles.

LES AIGLES DE COMBAT

Le *F/A-22* a été conçu pour remplacer un autre grand chasseur, le *F-15 Eagle*, qui sillonnait les airs depuis les années 1970. Il peut voler à une vitesse deux fois supérieure à celle du son. Des missiles et des bombes sont attachés sous le fuselage et un canon est monté dans le nez.

> Le poste de pilotage d'un avion de chasse est équipé de nombreux ordinateurs et instruments de contrôle.

INFO-ÉCLAIR
À propos de l'équipage
Dans les premiers F-15, l'équipage était composé d'une seule personne. Dans les plus récents F-15, un officier d'armement prend place derrière le pilote qui peut ainsi se concentrer sur le pilotage de l'avion.

21

LE VOL STATIONNAIRE

**Les syrphes sont des insectes qui peuvent rester en vol station-
naire. Certains aéronefs peuvent faire la même chose.
La plupart sont des hélicoptères, mais les avions
Harrier et *Osprey* peuvent le faire eux aussi.**

DES ROTORS BASCULANTS

Les moteurs du *V-22 Osprey* peuvent pivoter. Quand ses
énormes hélices se mettent à tourner, il décolle verticalement comme un hélicoptère. Puis les moteurs et les hélices pivotent pour se mettre à l'horizontale et l'avion évo-
lue comme un avion à hélices. Le *Osprey* est un avion
militaire qui peut transporter des troupes ou des
marchandises.

3. Il s'éloigne
en volant

2. Les moteurs
pivotent

1. L'avion décolle

*Les moteurs d'un
Osprey pivotent
après le décollage.*

LES AVIONS À DÉCOLLAGE VERTICAL

Le *Harrier Jump-Jet* est un avion à réaction qui peut décoller verticalement dans les airs. Son secret tient dans son moteur spécial. Les jets de ses réacteurs sont expulsés par quatre tuyères, deux à l'avant et deux à l'arrière. Le pilote peut faire pivoter les tuyères. Quand elles pointent vers le bas, l'avion subit une poussée et s'élève verticalement dans les airs. Puis, le pilote inverse les tuyères pour voler horizontalement. Cette technologie est appelée «poussée vectorielle».

INFO-ÉCLAIR

L'orientation par jets

Le Harrier *ne peut pas s'orienter d'une façon normale quand il est en vol stationnaire. Donc, il envoie des jets d'air par de petites tuyères situées dans le nez, la dérive et le bout des ailes.*

Le Harrier n'a pas besoin de piste d'atterrissage ; il peut se poser n'importe où.

Harrier II

Longueur	14, 6 mètres
Envergure	9,3 mètres
Vitesse	1 065 km/h
Armement	canon de 25mm et 6 000 kg de bombes et de missiles

AVIONS

LES AVIONS INVISIBLES

Certains avions de guerre sont spécialement conçus pour ne pas être vus par l'ennemi. On leur a donné le nom d'avions furtifs.

Moteurs
Situés sur les ailes pour ne pas être détectés par les missiles et les radars au sol.

Ordinateurs de bord
136 instruments de vol électroniques aident le B-2 à voler et à remplir sa mission.

Forme
Testée dans des souffleries pendant 24 000 heures.

Poste de pilotage
Pour un équipage de deux personnes, le commandant de l'avion et le commandant de la mission.

> Le bombardier B-2 est un type d'avion appelé « aile volante ». Son fuselage est fait de 900 matériaux différents et il est composé d'un million de pièces détachées.

Armement
Transporté dans deux soutes situées au centre du fuselage.

LA DÉTECTION DES AVIONS

Les avions furtifs ne sont pas vraiment invisibles, mais contrairement aux autres avions, ils n'apparaissent pas sur les écrans-radars ennemis. La plupart des avions forment des taches brillantes sur un écran-radar. Les avions furtifs sont indétectables par les radars en raison de leur forme étrange. Le bombardier *B-2* est un avion furtif.

> Un bombardier B-2 peut se rendre à n'importe quel endroit de la planète en étant ravitaillé en carburant dans les airs par un avion ravitailleur.

> Les instruments de vol électroniques du Nighthawk sont programmés pour remplir sa mission et se diriger ensuite d'une façon automatique vers sa cible.

LE NIGHTHAWK

Le *F-117 Nighthawk* a été fabriqué avant le *B-2* pour prouver que les avions furtifs ne pouvaient réellement pas être détectés par les radars ennemis. Les gaz brûlants provenant de ses deux moteurs s'échappent par une large fente située à l'arrière. Ainsi, les gaz se refroidissent rapidement et les missiles à détecteurs de chaleur ne peuvent pas repérer l'avion.

INFO-ÉCLAIR

La puissance du *B-2*

Chaque B-2 peut effectuer, à lui tout seul, un bombardement qui nécessitait auparavant 75 vieux bombardiers, chasseurs et autres avions de soutien.

> Le pilote militaire est assis dans des sièges éjectables. Si l'avion est sur le point de s'écraser, une fusée propulse le siège loin de l'avion.

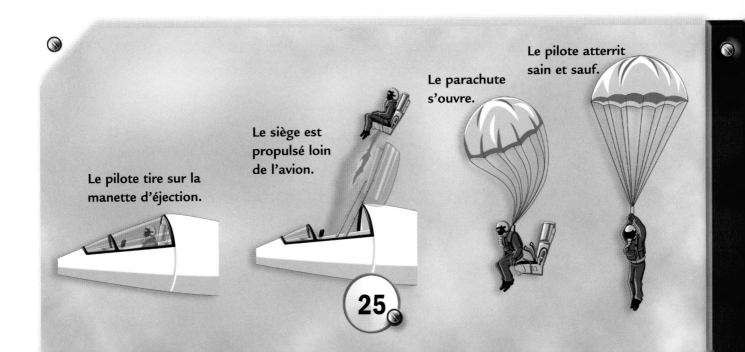

Le pilote tire sur la manette d'éjection.

Le siège est propulsé loin de l'avion.

Le parachute s'ouvre.

Le pilote atterrit sain et sauf.

LES AVIONS SPÉCIAUX

La majorité des avions sont fabriqués en grand nombre, mais certains d'entre eux sont uniques, c'est-à-dire qu'ils sont fabriqués en un seul exemplaire. Ces avions spéciaux sont construits pour effectuer un vol spécial ou pour établir un nouveau record.

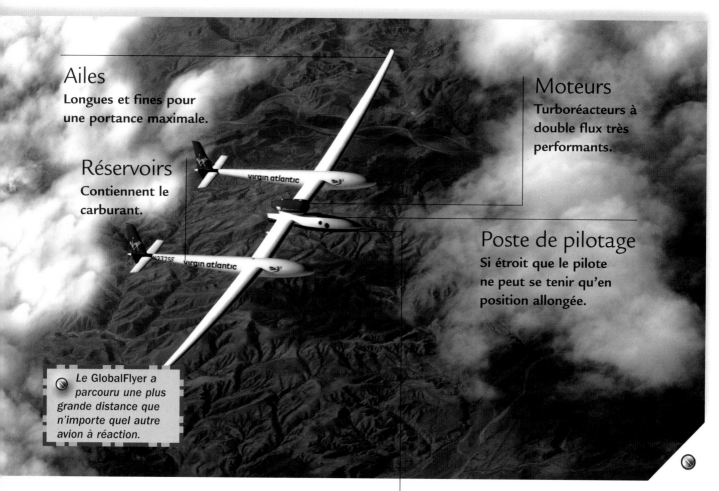

Ailes
Longues et fines pour une portance maximale.

Réservoirs
Contiennent le carburant.

Moteurs
Turboréacteurs à double flux très performants.

Poste de pilotage
Si étroit que le pilote ne peut se tenir qu'en position allongée.

Le GlobalFlyer a parcouru une plus grande distance que n'importe quel autre avion à réaction.

Nacelle centrale
Contient le poste de pilotage.

LE TOUR DU MONDE

Le 1er mars 2005, Steve Fosset prit place aux commandes d'un aéronef appelé *GlobalFlyer* et s'envola. Deux jours plus tard, il revint à son point de départ et se posa sur l'aéroport du Kansas aux États-Unis. Il devint la première personne à faire le tour du monde en solitaire, sans escale ni ravitaillement. Dix-neuf ans plus tôt, deux pilotes avaient fait le premier vol autour du monde sans escale dans un avion nommé *Voyager*.

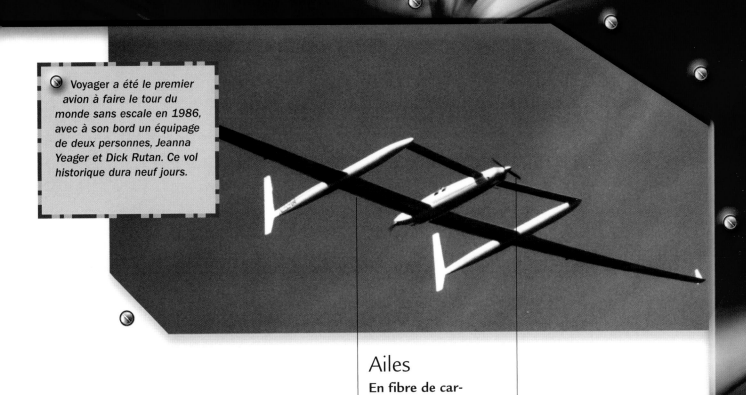

Voyager a été le premier avion à faire le tour du monde sans escale en 1986, avec à son bord un équipage de deux personnes, Jeanna Yeager et Dick Rutan. Ce vol historique dura neuf jours.

Ailes
En fibre de carbone ultralégère et résistante.

Hélices
Une à l'avant et une à l'arrière.

LE WHITE NIGHT

Le 21 juin 2004, *Spaceship One* prit son envol vers l'espace et est entré dans l'histoire comme le premier véhicule spatial habité privé. L'avion-fusée a été emmené dans les airs par un étrange aéronef appelé *White Nigh*, qui décolla avec le planeur-fusée attaché sous lui. Il monta à une altitude de 15 250 mètres avant de larguer l'avion-fusée.

INFO-ÉCLAIR

L'avion parfait
GlobalFlyer *était d'une forme si parfaite pour voler que la seule façon de le faire atterrir était de déployer des parachutes à l'arrière.*

L'étrange forme du White Night *lui permettait de transporter un avion-fusée sous lui.*

LES AVIONS DU FUTUR

Les avionneurs cherchent toujours à définir à quoi pourra ressembler l'avion du futur. Certaines de leurs idées pourraient vous étonner.

LES AVIONS DE LIGNE DU FUTUR

L'*Airbus A380* est à ce jour le plus gros avion de ligne, mais ceux du futur pourraient bien être beaucoup plus gros. Un nouveau design de ce qui pourrait devenir l'avion de ligne du futur ressemble à un bombardier *B-2*, mais avec une cabine pouvant accueillir 1 000 passagers à l'intérieur de ses ailes. Des avions ressemblant à des vaisseaux spatiaux et propulsés par un moteur-fusée pourraient transporter les passagers aux quatre coins du monde à une vitesse cinq ou dix fois supérieure à celle du son.

> Un gigantesque avion de ligne du futur se prépare à décoller avec 1 000 passagers à son bord.

Cabines
Aménagées à l'intérieur des ailes pour accueillir des passagers.

28

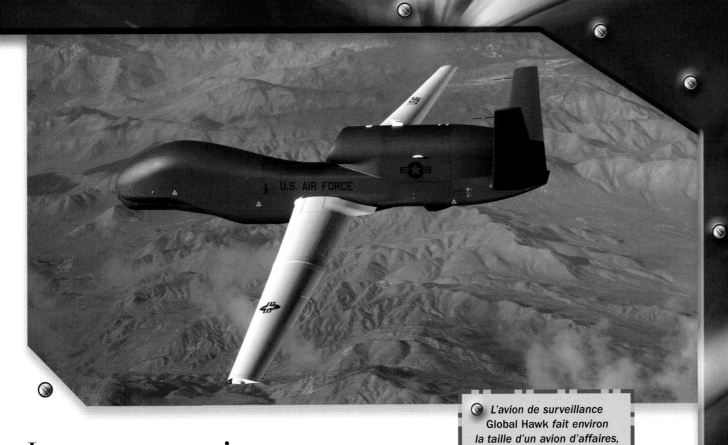

L'avion de surveillance Global Hawk *fait environ la taille d'un avion d'affaires, mais il vole sans pilote.*

LES ROBOTS DE L'AIR

Savais-tu que certains aéronefs peuvent voler sans pilote ? Ce sont des drones (*UAV – Unmanned Air Vehicles*). Les drones les plus simples sont télécommandés par un pilote assis dans un poste de pilotage au sol. Les commandes actionnées envoient des signaux radio à l'avion pour le diriger. Les drones les plus évolués volent d'une façon entièrement autonome. L'avion de surveillance, le *Global Hawk*, est un de ces drones évolués. Il est dirigé par ses propres ordinateurs de bord.

INFO-ÉCLAIR

Le vol de surveillance
En avril 2001, un avion de surveillance sans pilote, le Global Hawk, *effectua un vol autonome au-dessus de l'océan Pacifique, partant des États-Unis pour se diriger vers l'Australie.*

Moteur
Petit réacteur à l'intérieur du fuselage.

Ailes
D'une envergure de 10,3 mètres.

Le X-45 *est un drone de combat expérimental (UCAV - Unmanned Combat Air Vehicle), télécommandé par un opérateur au sol. Sans pilote à l'intérieur, il est plus petit, plus rapide et fait des virages plus courts qu'un chasseur normal.*

CHRONOLOGIE

1903
Les frères Wright construisent avec succès le premier aéronef, le *Flyer*, et effectuent le premier vol motorisé.

1909
Louis Blériot réalise la première traversée de la Manche à bord de son avion, le *Blériot X1*.

1919
John Alcock et Arthur Whitten Brown effectuent le premier vol transatlantique sans escale dans un bombardier *Vickers Vimy*.

1927
Charles Lindbergh est le premier pilote à traverser en solitaire et sans escale l'océan Atlantique dans son *Ryan* du nom de *Spirit of St Louis*.

1930
Frank Whittle invente le réacteur.

1947
Charles 'Chuck' Yeager effectue le premier vol supersonique (plus rapide que la vitesse du son) dans l'avion-fusée expérimental *Bell X-1*.

1952
Le de *Havilland Comet* devient le premier avion commercial propulsé par des turboréacteurs.

1969
L'avion commercial supersonique *Concorde* effectue son premier vol.

1969
Le *Boeing 747 Jumbo Jet* effectue son premier vol.

1976
L'avion-espion *Lockheed SR-71 Blackbird* établit un nouveau record de vitesse dans les airs à 3 529 km/h.

1976
L'avion de ligne supersonique *Concorde* commence à transporter des passagers pour British Airways et Air France.

1986
Dick Rutan et Jeanna Yeager effectuent le premier vol autour du monde sans escale dans leur avion *Voyager*.

1989
Le bombardier furtif *Northrop B-2 Spirit* et le *V-22 Osprey* effectuent leur premier vol.

1994
Le *Boeing 777* est le premier avion commercial qui a été conçu en utilisant la synthèse d'images 3D.

1997
Le *F/A-22 Raptor* effectue son premier vol.

2001
Un avion-espion sans pilote, *Global Hawk,* vole au-dessus de l'océan Pacifique des États-Unis jusqu'en Australie.

2004
L'avion *White Knight* largue le *Spaceship One* au cours du premier vol spatial privé.

2005
L'avion commercial géant, *Airbus A380*, effectue son premier vol.

2005
Steve Fossett réalise le premier vol autour du monde en solitaire, sans escale ni ravitaillement, dans le *GlobalFlyer*.

GLOSSAIRE

Ailerons

Volets situés à l'extrémité des ailes d'un avion qui pivotent vers le haut ou vers le bas pour commander un mouvement de roulis ou pour faire tourner l'appareil.

Avion furtif

Avion conçu pour être difficilement détecté par un radar.

Avion sans moteur

Il est remorqué dans les airs et descend en planant jusqu'au sol. Cette pratique s'appelle aussi le vol à voile.

Carburant

Liquide brûlé dans le moteur d'un avion pour produire l'énergie nécessaire à son déplacement.

Cheval-vapeur

Unité de mesure de la puissance d'un moteur d'avion.

Drone (UAV)

Avion sans pilote. La plupart des drones sont télécommandés par un opérateur de vol au sol, mais les drones plus récents sont complètement autonomes.

Drone de combat (UCAV)

Avion de combat sans pilote.

Gauchissement de l'aile

Façon de diriger un avion employée par les frères Wright. Cette méthode consistait à relever le bout arrière de l'une des ailes et à abaisser l'autre en même temps.

Gouverne de direction

Partie située sur la dérive d'un avion qui pivote pour faire tourner l'avant de l'avion et faire pointer son nez dans une direction différente.

Gouvernes de profondeur

Parties situées sur la dérive d'un avion qui pivotent vers le haut ou vers le bas pour faire monter ou descendre l'avion.

Jet d'affaires

Autre nom pour l'avion d'affaires, un petit avion à réaction utilisé comme un taxi pour transporter un nombre restreint de personnes.

Missiles

Projectiles propulsés par une fusée transportés par un avion. Quand un missile est lancé, il vole vers sa cible et explose.

Poste de pilotage

Partie de l'avion où le pilote prend place. C'est là que sont situées les commandes pour piloter l'avion et les instruments de vol qui affichent tous les renseignements sur l'avion.

Planeur

Avion sans pilote. Il est remorqué dans les airs et descend vers le sol en planant.

Poussée vectorielle

Façon d'orienter un avion ou de le faire décoller verticalement en faisant pivoter les tuyères de ses réacteurs dans différentes directions.

Propulseurs pivotants

Parties d'un avion avec des moteurs qui agissent comme les rotors d'un hélicoptère au décollage et à l'atterrissage et comme des propulseurs le reste du temps.

Radar

Système qui utilise les ondes radio pour détecter un avion.

Supersonique

Plus rapide que la vitesse du son.

Titane

Métal léger et résistant utilisé pour fabriquer les avions les plus rapides parce qu'il peut supporter les températures très élevées.

INDEX

SUR LE WEB

www.boeing.com/companyoffices/aboutus/wonder_of_flight/index.html
Découvre comment les choses volent (anglais)

www.boeing.com/companyoffices/aboutus/wonder_of_flight/engine.html
Pour en savoir plus sur le fonctionnement des moteurs à réaction (anglais)

www.first-to-fly.com *Pour en savoir plus sur les frères Wright et sur leur avion (anglais)*

www.boeing.com/commercial/747family/pf/pf_facts.html
De nombreuses informations sur les avions gros porteurs (anglais)

www.sprucegoose.org *Pour en savoir plus sur l'avion Spruce Goose*

www.virginatlanticglobalflyer.com *L'histoire de l'avion qui a fait le tour du monde sans escale (anglais)*

http://science.howstuffworks.com/f-22-raptor.htm *Pour en savoir plus sur le chasseur F/A-22 Raptor (anglais)*

www.guinnessworldrecords.com *Pour en savoir plus sur les avions qui ont battu des records (anglais)*